SOPA DE LIBROS

Título original: *Un petó de mandarina*

© Del texto: Eulàlia Canal, 2006, 2016
© De las ilustraciones: Sara Ruano, 2006, 2016
© De la traducción: Marinella Terzi, 2016
© De esta edición: Grupo Anaya, S. A., 2016
Juan Ignacio Luca de Tena, 15. 28027 Madrid
www.anayainfantilyjuvenil.com
e-mail: anayainfantilyjuvenil@anaya.es

1.ª edición, marzo 2016
2.ª edición, enero 2017

Diseño: Manuel Estrada

ISBN: 978-84-698-0872-6
Depósito legal: M-3488-2016

Impreso en España - Printed in Spain

Las normas ortográficas seguidas son las establecidas por la Real Academia
Española en su *Ortografía de la lengua española*, publicada en 2010.

Canal, Eulàlia
Un beso de mandarina / Eulàlia Canal ;
ilustraciones de Sara Ruano ; traducción de Marinella
Terzi. — Madrid : Anaya, 2016
160 p. : il. b/n. ; 20 cm. — (Sopa de Libros ; 181)
ISBN 978-84-698-0872-6
1. Amor. 2. Pacifismo.
I. Ruano, Sara , il. II. Terzi, Marinella, trad.
087.5: 821.134.1-3

Un beso de mandarina

SOPA DE LIBROS

Eulàlia Canal

Un beso de mandarina

Ilustraciones
de Sara Ruano

ANAYA

Traducción de Marinella Terzi

A mis hijos,
Ada, Ona y Nil.

1
EL PRIMER DÍA
QUE LA VI

El primer día que la vi le ondeaba el pelo.
Era curioso porque no hacía nada de viento.
Yo no lo entendía.

Estábamos en clase y la Espinosa explicaba
la ley de la gravedad. Yo, que quería saltar hasta las nubes para probarlas, no podía hacer
nada, la fuerza de la gravedad me condenaba a
permanecer con los pies pegados al suelo.

Pero a ella, que estaba sentada justo delante
de mí, el pelo le ondeaba como las olas bajo el
sol y sonreía con los ojos fijos más allá de la
ventana.

A la hora del recreo se sentó en el arenero
con las piernas cruzadas como una india y comía cerezas con hueso. Quiero decir que se tra-
gaba los huesos.

Ricki me vino a buscar para jugar al fútbol, les faltaba un portero y pensaron que podía ser yo.

Una idea genial, ¿eh?... Pues no.

Aquel no era precisamente mi mejor día. No veía ni la pelota, ni a mis compañeros de equipo. Solo la veía a ella.

Ella había terminado de desayunar y leía un libro del grosor de un palmo.

—¡Goooool! —gritaron ellos.

¡Glups! Me acababan de meter un gol por debajo de las piernas.

Pero el gol me daba igual, mucho peor fueron las caras largas y los insultos de mis compañeros de equipo: «pedazo de animal, tienes los ojos en el culo o qué, tonto de remate, burro más que burro...».

Ella no levantó la vista del libro.

Cuando sonó el timbre para volver a clase, vi cómo doblaba el libro como si fuera un pañuelo y se lo metía en el bolsillo.

Claudia me dijo que se llamaba Vanina y que venía de un país lejano.

Volví caminando a casa, sin ninguna prisa, atravesando el parque.

Me paré para sentarme en el banco azul, bajo el sauce llorón.

Quería conocerla.

2

LOS COLEGAS
DE RICKI

Unas voces me sacaron de mi ensimisma-
miento. Era Ricki que venía con sus tres colegas:
Ojodecristal, Rufus y Tifus. Los tres eran mayo-
res que nosotros. Ojodecristal caminaba y can-
taba al ritmo de una música que le sonaba en las
orejas. Rufus y Tifus cargaban con una papelera
del parque y se reían, mientras la hacían volar de
unas manos a otras como si se tratara de una
pelota de rugby. Sabía cómo las gastaban e intuí
que mi futuro inmediato estaba en peligro.

—Eh, mira, Tavi ha ocupado nuestro banco
—dijo Rufus, que lucía una pequeña cicatriz
con forma de siete en la mejilla.

—Niño, ¿no sabes que este banco es propie-
dad privada? —dijo Tifus, mostrando la calavera que llevaba tatuada en el brazo.

—No os preocupéis, ya me iba —respondí levantándome.

—No tan deprisa —ladró Ojodecristal apagando la música.

Yo quería salir corriendo, pero las piernas no me respondían.

—¿Acaso llegas tarde? —dijo Rufus con sorna.

—Mira, nos ha dejado el banco hecho un asco —refunfuñó Ojodecristal.

—¿No sabes que este banco solo lo podemos ensuciar nosotros? —añadió Tifus.

—Bueno, eso no es problema, que lo limpie con la lengua, porque tienes lengua, ¿no? —me amenazó Rufus.

Y entonces, antes de que pudiera salir por piernas, Rufus me agarró por la nuca y me incrustó la cara en el banco.

Ricki y los otros se reían, y me habría tragado hormigas, barro, ceniza, gasolina y todos los virus que os podáis imaginar si no fuera porque Ricki se puso a gritar:

—¡Vanina!

Rufus me soltó y los cuatro, como si nunca hubieran roto un plato, se sentaron en el banco para verla pasar, y se olvidaron de mí. Yo aproveché para huir, pies para qué os quiero. De ninguna de las maneras quería que Vanina me viera en aquella situación.

3
MUDO COMO
UN EMBUDO

La Espinosa hablaba del *big bang*. El origen del universo, dicen. Explosión de gases y polvo. Hecho polvo, así me sentía yo. No había pegado ojo en toda la noche. La imagen de Vanina y su pelo había planeado por mi habitación: me miraba y me guiñaba un ojo, se escondía detrás de los libros y volvía a salir. «¿Qué quieres, Vanina?», le decía yo. Y luego aparecían Ricki y sus colegas de debajo de la cama, diseminaban ojos de cristal, calaveras y cicatrices por la alfombra y se reían pegados a mis orejas.

Cuando se terminó la clase, decidí acercarme a Vanina y preguntarle qué leía. El corazón me latía de tal manera que parecía que me iba a estallar como el *big bang* y me iba a transformar en polvo por siempre jamás. Pero Ricki, Rufus y Tifus me impidieron el paso. Rufus y Tifus repetían curso por segunda vez. Los dos eran altos y tan robustos como un armario, pero no tenían ni un dedo de cerebro.

—Chaval, a Vanina ni mirarla, ¿entendido? —dijo Ricki.

—¿Por qué? —pregunté yo con inocencia.

—Yo la he visto primero —dijo él con cara de comerse el mundo.

Después los tres me dieron la espalda y se esfumaron escaleras abajo.

Y yo, a años luz de encontrar las palabras adecuadas para responder ante aquel abuso de poder, me quedé con un palmo de narices y mudo. Mudo como un embudo.

Ricki se pasó todo el recreo mariposeando alrededor de Vanina y contándole batallitas. Era guapo, simpático y tenía un montón de atributos más. O sea, todo lo que una chica puede esperar de un chico. Y lo que no tenía se lo inventaba.

Yo, en cambio, no hacía nada ni muy bien ni muy mal, era tan, tan, tan normal, que a veces me confundía con los demás y me sentía como si no existiera. Una sensación extraña, la verdad.

Luego me pellizcaba y me daba cuenta de que sí, existía, porque me hacía daño. El problema era que me sentía incómodo, fuera de lugar, simplemente, no sabía dónde meterme.

Por todo ello entendí mi situación y me rendí como un gallina. Le cedí todos los derechos a Ricki. Lo comprendéis, ¿no?

Bueno, eso fue durante unos días.

Tres miserables días.

El día que ella me invitó a su fiesta de cumpleaños, mi decisión cambió.

4
MI HERMANO

Si os digo la verdad, me alegré, pero no.
Quiero decir que al mismo tiempo me entró
una tristeza pegajosa que no me dejaba dormir.
Pensaba que me había invitado por equivoca-
ción o porque, al fin y al cabo, era generosa e
invitaba a toda la clase.

Tumbado en la cama con las piernas en alto
pensaba en qué regalarle.

Decidme: ¿qué se le puede regalar a una
niña que lee un libro que se pliega?

¿Qué se le puede regalar a una niña a la que
le ondea el pelo?

—¡Buffff! —resopló mi hermano.

Mi hermano, con quien, desgraciadamente o
no, me toca compartir habitación, estaba dán-
dole a la guitarra. Mi padre, músico ilustre, es-

taba orgulloso de cómo tocaba mi hermano y presumía de ello. De mí, en cambio, no podía decir lo mismo. Yo no servía ni para tocar los platillos, y por eso, a menudo me preguntaba si era realmente hijo de mi padre o era adoptado.

Tenía la cabeza llena de laberintos cuadrados y no encontraba la salida, y aunque guardaba silencio por no fastidiar los acordes de mi hermano, oí que me decía:

—Quieres parar, pedazo de cardo, ¡así no puedo concentrarme!

Hasta entonces había estado mudo como un pez, o eso creía, porque hay momentos en la vida que dudas de todo, y cuando uno duda se termina creyendo lo que le dicen los demás, como lo que me soltó ese día mi hermano:

—Me contagias tu mal rollo, apestas a mal rollo, niño. —Y se quedó tan ancho.

Tras escuchar esas palabras, sentí por un momento que realmente era mi hermano. Hasta entonces era una criatura que pululaba por la casa y se dedicaba a fastidiarme todo lo que podía. Había oído hablar de hermanos gemelos que tienen telepatía y que cuando uno se cae y se hace daño, el otro, aunque esté a miles de kilómetros, dice «Ay». Yo no me creía nada de eso, pero las palabras de mi hermano me convencieron. ¿Cómo podía saber que yo tenía mal rollo si no había abierto la boca? No había ninguna duda, éramos almas de la misma sangre. Sentí que entre él y yo se abría una puerta y le conté mi problema.

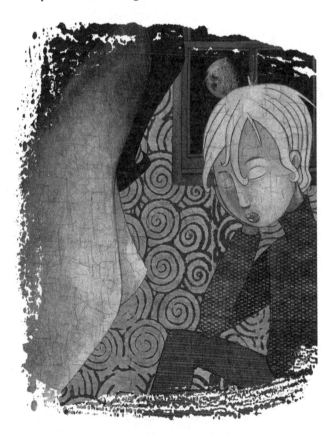

5

TAVI, EL MAGNÍFICO, GRANRATÓN COLORADO DE LOS INDIOS GUAYAMIRI

—Es la niña más guapa que he visto nunca, me ha invitado a su fiesta y yo no tengo nada que regalarle.

Creo que conseguí darle pena, porque dejó la guitarra y se sentó a mi lado:

—Tavi, el Magnífico, Granratón colorado de los indios guayamiri, ¿cómo te atreves a decir que no tienes nada?

Mi hermano siempre me hablaba así cuando estaba de buenas o cuando le interesaba que yo le dejara mi monopatín. Yo le seguí el juego:

—Y así es, gran Tómic atómico del espacio, mírame las manos, están vacías como un cubo del revés.

—¿Y tú no recordar por qué llamarte Tavi Granratón?

Dije que no con la cabeza y él respondió:

—Porque de pequeño tu madre siempre decir Tavi ser más listo que los ratones colorados.

Yo me reí.

—¿Y tú no saber por qué llamarte Tavi, el Magnífico?

Y yo negué con la cabeza y él respondió:

—Porque de pequeño tu padre siempre decir Tavi tener unas ideas de bombero magníficas.

Yo volví a reírme.

—¿Y tú no saber por qué Tómic, tu hermano, llamarte indio guayamiri?

De nuevo negué con la cabeza y él respondió:

—Porque tu hermano, Tómic atómico, descubrió que Tavi tener una mirada guay, la misma mirada que tienen los indios guayamiri, conocidos en todo el mundo por su imaginación. ¿Entiendes ahora qué es todo lo que el gran Tavi tiene?

Yo asentí, levanté la mano y le dije:

—Gracias, Tómic atómico del espacio, el gran Tavi ya no tiene mal rollo, puedes continuar con tus acordes, me parece que saldré adelante solo.

Mi hermano volvió a la guitarra y yo, que todavía no tenía ni la más remota idea de qué regalar a Vanina, me dormí.

Soñé con ella. Estábamos en clase y ella no apartaba los ojos de la ventana. Yo me levantaba a preguntarle qué veía detrás de la ventana, pero el bolsillo de los pantalones se me quedaba enganchado en el boli de Ricki y se rasgaba. Ricki se reía y los dientes le saltaban como pelotas de *ping-pong*, pero ella me sonreía como un gajo de mandarina. Me desperté mojado de sudor y feliz.

Hablaría con ella, no quería esperar más.

6

¿QUÉ VES DETRÁS DE LA VENTANA?

Llegué a clase y me senté en mi silla. Ella estaba sentada justo delante. Llevaba una falda de nubes y no apartaba los ojos de la ventana. Quería saber qué era aquello que no se cansaba de mirar, durante horas y horas, en el horizonte del colegio. Yo solo veía fábricas que humeaban y rascacielos que agujereaban las nubes.

La Espinosa llenaba la pizarra de fracciones y, luego, preguntaba torciendo los ojos y los labios como hacen las raposas:

—Entonces, ¿cuántos limones quedan en el limonero?

En el limonero no lo sabía, pero en la camiseta de Vanina había siete.

Escribí mi pregunta en una hoja del cuaderno de mates: «Vanina, ¿qué ves detrás de la ventana?», y se la hice llegar por debajo de la mesa.

Apartó la vista de la ventana para leer mi hoja.

Me sentía más extraño que nunca, era la primera vez que hacía una cosa que no era normal sino simplemente diferente. Era la primera vez que me sentía realmente Tavi, el Magnífico, Granratón colorado de los indios guayamiri.

Vi cómo escribía la respuesta en un pañuelo de papel.

Después se puso el pañuelo en la nuca prendido en la camiseta de limones y bajo el pelo. Yo no sabía qué hacer. Me parecía muy osado levantarle el cabello con las manos y cogerle el pañuelo…, pero… ¿y si el pelo le volara?

Y fue pensar eso y el pelo de Vanina comenzó a ondear. Yo alargué la mano y atrapé el pañuelo.

Era el mar. Un mar plácido bajo el sol bañado de gaviotas y barcos. El dibujo era tan real que por un momento me sentí dentro de él. Después de observar el dibujo, volví a mirar por la ventana, pero no había mar, ni gaviotas, ni barcos, solo humo.

«Dime, Vanina, ¿cómo consigues ver lo que deseas?», hubiera deseado preguntarle, pero la clase se acabó y ella desapareció como un espejismo.

7
¿QUIÉN ERA YO?

Había días en los que dudaba si Vanina era real o era un fantasma. A menudo cuando me quería acercar a ella se evaporaba incomprensiblemente. En un visto y no visto estaba en la otra punta del patio con su libro. Cuando salíamos del colegio, la veía bajar las escaleras delante de mí, pero al llegar a la calle ya no estaba, ni a derecha ni a izquierda, ni arriba en el cielo ni bajo tierra. Era tan escurridiza como un sueño.

Al día siguiente bajé al patio decidido a hablarle. Quería saber todo de ella. De dónde venía, por qué, cómo... Pero... Ricki, acompañado por Rufus y Tifus, que lo protegían como auténticos guardaespaldas, se plantó frente a mí:

—Vete, mequetrefe, Vanina y yo tenemos que hablar de cosas importantes y no queremos espías —soltó Ricki.

Le podría haber endilgado un sopapo, haberle dicho que yo estaba antes y que en mí no mandaba un zoquete que se creía el amo del mundo. Era la oportunidad perfecta para demostrar a Vanina quién era yo. Pero las palabras se me liaron en el estómago y salí huyendo con el rabo entre las piernas. ¿Quién era yo? Ni Magnífico, ni Granratón colorado de los indios guayamiri. De momento, ¡el último mono!

Barrí el patio con los ojos: los niños jugaban a la pelota, las niñas estaban sentadas en las escaleras entre un sinfín de murmullos y risas, y Ricki acaparaba toda la atención de Vanina en el arenero.

La rabia me roía por dentro y, apesadumbrado por unos pensamientos tan oscuros como alambres, trepé al olivo del patio. Allí, tumbado sobre la rama más alta, miraba las nubes, o mejor dicho, la nube. En el cielo solo había una nube. Una nube de mandarina que se abría y se cerraba, como los labios de Vanina cuando sonreía. Alargué la mano tanto como pude y la toqué. Era suave. Pensé que no podía dejarla ir, que aquella nube era mía y nadie me la podía quitar y, sin pensarlo más, la atrapé y me la guardé en el bolsillo. Cerré los ojos y un silencio fino como el hilo de una telaraña se adueñó del olivo.

De pronto… el patio estaba vacío. No quedaba nadie. Bajé tan precipitadamente del olivo que me arañé la mejilla con una rama y me hice sangre.

Entré en clase resoplando y la voz de la Espinosa me agujereó:

—Octavio, como hoy has estado en el patio más que tus compañeros, te invito a quedarte una semana sin recreo.

«Gracias, señorita *Espenosa*, o como quiera que se llame, pero me temo que no podrá ser porque Vanina y yo tenemos que aprovechar la hora del recreo para darnos un beso», hubiera querido contestar. Pero me callé y fijé la vista en los cordones de mis zapatos, mientras las risas burlonas de mis compañeros resonaban en estéreo por toda la clase.

8
TAVI, ¿DÓNDE ESTABAS?

Cuando me atreví a levantar la vista, vi cómo Vanina se ponía otro papel en la camiseta de limones bajo el pelo. El corazón me empezó a latir, y como el pelo no le ondeaba pensé… «Ojalá le volara». Pero no, esa vez no.

«Cuando espiramos el aire, expulsamos el dióxido de carbono y vapor de agua de nuestro cuerpo…», recitaba la Espinosa… ¡Soplar, podía soplar! Me puse las manos formando un embudo delante de los labios y espiré el vapor de agua de mi cuerpo… y el pelo de Vanina volvió a moverse. Yo alargué la mano, cogí el papel… y leí: «Tavi, ¿dónde estabas?».

¡Vanina quería saber dónde estaba! ¿Lo preguntaba porque realmente yo le interesaba o porque se aburría y le gustaba el jueguecito de los papeles?... Podía perder días, semanas y meses con aquellas preguntas sin respuesta. ¡Venga!, si ella pregunta, yo respondo. Arranqué una hoja del cuaderno de naturales y escribí: «¡Sobre el olivo cazando nubes!».

Pero justo cuando le iba a pasar el papelito, la Espinosa, que estaba preguntando no-sé-qué de una membrana estrambótica, se plantó delante de mí como una bruja más que bruja y dijo:

—A ver, por lo que parece, Octavio tiene la respuesta a la pregunta que estoy haciendo y ha tenido el detalle de escribirla en un papelito y todo. ¿Me lo das, Octavio?

Es uno de esos momentos en la vida en que deseas fundirte, desaparecer, no haber existido jamás, pero no me daba tiempo ni sabía cómo hacerlo.

La Espinosa, al ver que yo no le daba el papel, me lo arrancó de las manos y leyó en voz alta: «¡Sobre el olivo cazando nubes!».

—Muy bien, Octavio, vas progresando, o sea que tu membrana pituitaria está sobre el olivo del patio cazando nubes...

La clase entera se convirtió en una carcajada que duró más que un infierno. Tiempo que la Espinosa aprovechó para anotar en mi agenda todos los detalles de mi comportamiento y pedir a mis padres que tomaran medidas al respecto.

9
EL CASTIGO

Volví a casa sin entrar en el parque. De hecho, desde el día que me topé con Ricki y sus colegas no había puesto los pies allí. Por nada del mundo quería arriesgarme a encontrármelos. Me palpé el bolsillo... Mi nube de mandarina se había evaporado, pero ahora guardaba la pregunta de Vanina: «Tavi, ¿dónde estabas?».

Tenía las horas de tranquilidad contadas. Cuando mostrara la agenda con la nota de la Espinosa me tocaría soportar el sermón de mis padres: «Octavio, te estás haciendo mayor, ya no puedes dedicarte a contemplar las musarañas como un niño pequeño, tienes que ocuparte de estudiar y prohibido soñar con niñas, ni subir a los árboles, ni cazar nubes; de ahora en adelante prohibido para siempre, prohibido, prohibido, prohibido, ¿entendido?».

Pero no quería desperdiciar el tiempo que me quedaba pensando en todo lo que se me venía encima. Faltaban pocos días para la fiesta de Vanina y no me la quería perder por nada del mundo. Si me castigaban, saltaría por la ventana. Mi ventana no estaba a más altura que la que tenía el olivo del patio.

A la hora de cenar, mi padre anunció que estaría fuera dos meses. Tocaba el contrabajo y había recorrido todo el mundo con su grupo de jazz. Después de informar de su viaje, añadió:

—Tavi, confío en ti para que cuides de los gatos.

Yo revolvía la sopa hacia la derecha.

—Solo tienes que darles de comer cada noche y, sobre todo, no te olvides de la canción. Ya lo sabes.

Lo sabía perfectamente: mi padre tenía la extraña teoría de que los gatos necesitaban oír música todos los días. «Sin música se ponen tristes y se pelean», decía siempre. Por eso, cada noche, todos los gatos huérfanos del barrio visitaban la azotea de mi casa para cenar y oír las canciones de mi padre.

Bueno, si él era feliz creyendo que los gatos apreciaban la música no quería desilusionarlo.

—¿Y por qué yo y no Tomás? —pregunté.

—Porque él tiene más que estudiar. El año próximo, si todo va bien, entrará en la universidad.

En otro momento quizá hubiera protestado, pero mi situación era delicada. Revolví la sopa hacia la izquierda y aproveché para decir:

—Está bien, me ocuparé de los gatos, será mi castigo.

—¿Castigo? ¿Por qué tendría que ser un castigo?

—Cuando te enseñe la agenda, lo sabrás. Así te ahorro pensar en uno.

—Pero, bueno, ¿qué has hecho? —se sublevaron mi padre y mi madre a la vez.

Y como a partir de aquí la escena siguiente no es demasiado agradable, paso página.

Solo os diré que, finalmente, cuando me fui a la habitación castigado con cuidar de los gatos durante dos meses, no me importó demasiado. Guardé la pregunta de Vanina bajo la almohada y soñé. Me imaginaba que sus labios me regalaban un beso de mandarina y decían: «No te preocupes, todo irá bien».

Después, me dormí.

10

SEBASTIÁN

El primer día que subí a la azotea para dar de comer a los gatos, Sebastián dormía.

Sebastián, el gato preferido de mi padre, era blanco como una nube de nata. Mi padre quería más a los gatos que a sus hijos. Él se negaba a reconocerlo, pero mientras que a mi hermano y a mí jamás nos había dedicado una canción, a Sebastián le había escrito una sinfonía entera. Comprobé que Sebastián dormía y di de comer a los otros gatos. Eran seis; con Sebastián, siete. Me senté al lado de Sebastián y lo miré detenidamente. Intentaba averiguar qué veía mi padre en ese gato y, por un momento, deseé haber nacido gato y disfrutar de las mismas atenciones.

Cuando me iba a ir, Sebastián, de repente, dio un salto hasta el agujero de la chimenea.

Tuve miedo de que se cayera y le llamé con la mano llena de pienso. Miraba el horizonte, más allá de las azoteas atestadas de ropa tendida. Entonces movió la cabeza como si señalara algo. Miré en aquella dirección. Había alguien en una de las azoteas, pero que otra persona saliera a la azotea un sábado por la mañana no era algo que me interesara lo más mínimo.

El domingo, Sebastián se comportó del mismo modo. Volvió a subirse encima de la chimenea y volvió a señalar más allá. Entonces me pareció que aquella misma persona del día anterior, veinte azoteas al norte, bailaba al compás de una música imperceptible. Intrigado, bajé a casa para buscar los prismáticos. Cuando regresé a la azotea y miré, ya no había nadie y Sebastián se lamía las patas.

Decepcionado, dejé los prismáticos en la caseta y volví a mi habitación. Al entrar me tropecé con la guitarra. Maldije a quien hubiera dejado mi guitarra en medio del paso. La cogí y la escondí en el fondo del armario. Estaba llena de polvo y no quería verla. Después de que mis padres con toda la ilusión del mundo

me apuntaran a clases de guitarra, la había abandonado. Lo intenté, hasta mi hermano me ayudó, pero él lo hacía tan bien y de manera tan sencilla que me acabé creyendo que yo era un negado, y cuando intentaba tocar delante de alguien los dedos se me agarrotaban.

Me tumbé en la cama y abracé la almohada.

11
Un beso de mandarina

Por esas fechas, en clase teníamos que votar para delegado. Aparte de Claudia, se presentaban Ricki y Pistraus. ¡Vaya par! Hacía días que en el patio se enzarzaban a puñetazos, se insultaban y se amenazaban como dos gallos de pelea. Los partidos de fútbol acababan todos a golpes. Había dos bandos y era difícil mantenerse al margen. Por suerte, yo pasaba los recreos cumpliendo condena en clase.

Me sentaba frente a la mesa que daba a la ventana, me ponía los problemas de mates delante para disimular y me pasaba la hora del recreo observando a Vanina: primero desayunaba. Si comía mandarina, los labios se le ponían naranjas; con las cerezas, lilas como un pensamiento; con los plátanos, amarillos como un helado de vainilla...

Después, sentada en el arenero, se sacaba el libro del bolsillo, lo desdoblaba y se ponía a leer.

Su cara se transformaba a medida que iba pasando páginas. A menudo, sonreía durante mucho rato. Otras veces, la cara se le cubría de sombra y empezaba a sudar y a moverse nerviosa. Unas tres páginas más allá podía enrojecer como si la rabia le llegase de golpe y, finalmente, sacaba un pañuelo y se enjugaba las lágrimas.

Cuando terminaba la hora del recreo, pasaba los dedos por encima de las tapas del libro, como una caricia, lo doblaba y se lo metía en el bolsillo.

Aquel gesto me iluminó, decidí regalarle un libro. Vanina amaba los libros.

El jueves por la tarde entré en la librería del barrio.

Hojeé un montón de libros. No sabía cuál le podía gustar, había tantos... Me sentía completamente perdido... Tenía miedo de que ya lo tuviera o que no fuera de su interés. Quería que fuera un libro especial, que cada vez que lo abriera se acordase de mí.

—¿Qué buscas? —dijo una voz detrás de mí.

Me volví sobresaltado, era Claudia. Me sonreía divertida con sus ojos achinados.

—Perdona, no quería asustarte... A lo mejor te puedo ayudar... Mi madre trabaja aquí —me explicó.

—Ah..., no lo sabía —dije yo.

—Siento tu castigo... La *Espenosa* es una antipática repelente... —empezó.

—Da lo mismo, en el patio no se me ha perdido nada —dije haciéndome el indiferente.

—Pues yo, a veces, encuentro cosas —dejó caer ella.

—¿Qué cosas? —pregunté con curiosidad.

—... Miradas... secretos... —contestó haciéndose la interesante.

—No te entiendo —dije desconcertado.

—Bueno..., igual te lo explico otro día... —Y sonrió.

Me estaba empezando a enfadar tanto misterio y le dije:

—Tus secretos no me interesan.

—Vaya humor, chico.

—He venido a buscar un libro.

—Ya lo veo… ¿Y es para ti, el libro ese, o se lo quieres regalar a alguien?

—Es para regalar —le dije con un hilo de voz.

—¿Y qué edad tiene tu amiga? —preguntó ella.

—Yo no te he dicho que fuera para una amiga —dije ofendido, me imaginaba a Claudia cotilleando cosas mías con las otras en las escaleras del patio.

—Bueno, pues para quien quiera que sea tu libro —insistió ella.

—Mira, no es preciso que me ayudes, ya sabré elegirlo yo solo —dije molesto.

Entonces me quise girar hacia delante para irme y ella dio un paso a la izquierda, para dejar pasar a un cliente; chocamos los dos y… plaff, un libro de la estantería se me cayó a los pies.

—¿Te has hecho daño? —preguntó ella mientras se le escapaba la risa a causa del incidente. Pero yo ya no pensaba ni en ella ni en lo ocurrido. Mis ojos se clavaron en el libro que había aterrizado a mis pies. *Un beso de mandarina*. Era ese, no tenía ninguna duda. No lo pensé más. Le dije a Claudia que ya lo había decidido. Pagué el libro y me fui sin decirle ni adiós.

12

PARECÍA UNA LOCURA, PERO LO HICE

El viernes las cosas cambiaron.

Antes de salir de clase, Ricki me dijo:

—He notado que miras mucho a Vanina.

Rufus y Tifus vigilaban dos metros más allá.

—¡Y qué! —dije yo.

—¿No sabes que está colada por mí?

—... —Tocado.

—No quiero que nadie se le acerque, ¿de acuerdo? Ni una mirada más a Vanina. —Fue a marcharse pero se volvió y añadió—: Y, por cierto, el lunes no te olvides de votarme, ¿entendido?

—... —Hundido.

—Si no me votas serás un traidor y a los traidores les rompo la cara —sentenció Ricki.

Y cuando dijo eso, por un momento vi el rostro de Ricki con una calavera, un ojo de cristal y una cicatriz y, a continuación, mi cara hecha trizas rodando por las escaleras del colegio. Y, sin dudar, dije que sí, que claro que le votaría, faltaría más.

Volví a casa arrastrando los pies. Me sentía miserable. Ni Magnífico, ni Granratón colorado de los indios guayamiri. Miserable.

Si a Vanina le gustaba Ricki, ¿yo qué podía hacer? ¿Cómo me podía haber creído que ella se interesaba por mí? Un cobarde como yo, que no era capaz de decirle a Ricki: «Mira, niño, no te pienso votar porque eres un fantasma que lo arregla todo a puñetazos. No te pienso votar porque la gente *como* tú no se merece ser delegado de una clase donde hay una niña, como Vanina, a la que le ondea el pelo».

Pero no, no podía.

Decidí que no iría a la fiesta. Estarían Ricki y sus colegas y yo tenía todos los puntos para recibir una paliza. Además, estaba convencido de que Vanina no se acordaba de que me había invitado.

Al llegar a casa, cogí el libro *Un beso de mandarina* y subí a la azotea con los gatos. «Tened», les dije. «Una historia para vosotros», y tiré el libro en medio de la paja. Los gatos se pusieron nerviosos. Dos de ellos empezaron a enseñar los dientes y a pegar bufidos. A continuación, el gato más rubio se lanzó sobre el negro y lo arañó con rabia. No sabía cómo pararlos. Intenté distraerlos con el pienso, pero nada. Los otros gatos, en lugar de apartarse, se añadieron a la pelea. Sebastián los miraba desde la chimenea, inquieto: yo quería huir.

Entonces me acordé de las palabras de mi padre: «Sin música se ponen tristes y se pelean».

Parecía una locura, pero lo hice: comencé a cantar la única canción que recordaba en ese momento. *Boig per tu*[*], de Sau.

Reconozco que cantar no es precisamente mi fuerte, pero algo de mi voz les debió de gustar, porque se pararon y me miraron. Sebastián dio una voltereta de alegría, saltó a mi regazo y me lamió la mejilla.

Loco por ti.

Pensé que tal vez añoraran a mi padre y les dije que no se preocuparan, que regresaría pronto y que, cuando volviera, tendrían más canciones.

Sebastián volvía la cabeza. Juraría que me escuchaba y me entendía. Después, soltó un maullido dulce y volvió a la chimenea.

Azoteas allá, la volví a ver. Cogí los prismáticos y miré. Era una chica y... le ondeaba el pelo. ¡Era Vanina! Vi cómo tendía unas sábanas blancas, daba un paso de baile y desaparecía. Sebastián saltó hasta mis pies y me sonrió satisfecho.

¿Era posible que aquel manojo de pelos supiera que me interesaba Vanina?

13
¡ERES UN COBARDE!

El lunes, cuando llegué al colegio, Vanina me preguntó por qué no había ido a su fiesta, y yo, que no sabía qué decirle, balbucí que tenía trabajo y...

—No hace falta que te inventes una excusa, Tavi, si no querías venir, solo tenías que habérmelo dicho... ¡Eres un cobarde!

Las palabras me atravesaron como una guadaña. Tenía razón. Era un cobarde y estaba cansado de serlo. Justo a mitad de estos pensamientos oí la voz de la Espinosa que pedía que levantáramos la mano todos los que votábamos por Ricki como delegado de clase.

Decidí no votarle. Ricki me echó una mirada mortal. Me daba lo mismo, si me buscaba las cosquillas, lucharía. No voté ni por Ricki ni

por Pistraus, voté por Claudia. No quería esconderme más.

Claudia tuvo un voto más que Ricki y la nombraron delegada. Ricki estaba rojo de rabia y me dijo:

—Chaval, a las cinco eres hombre muerto. Te espero en el olivo.

—Allí estaré —respondí sin andarme por las ramas.

A las cinco, cuando bajaba por las escaleras, Claudia me paró y me dijo:

—Tavi, no lo hagas.

—¿Y por qué no?

—Os podéis hacer daño y no servirá de nada.

—¿Y qué tengo que hacer? ¿Decirle a todo que sí como un imbécil?

—No... no lo sé... Hay otras maneras...

Pero yo estaba decidido, nada me podría parar.

—Déjame pasar. —Y la aparté con la mano.

Medio colegio rodeaba el olivo. Rufus, Tifus y Ojodecristal estaban en primera fila. Todos querían ver la pelea. Todos menos Vanina y Claudia.

Ricki empezó sin avisar con un puñetazo a la mandíbula y me hizo caer de culo. Me levanté y le embestí con todas mis fuerzas. Los dos rodamos por el suelo. Un puñetazo en el ojo, para mí. Una patada en la tripa, para él. Un revés en la mejilla, para mí. Cara al suelo con el brazo retorcido como un muelle, yo. Un mordisco en la oreja, él…

De repente alguien gritó y todos se dispersaron.

Cuando levanté la vista, me encontré con los tacones de la Espinosa como dos agujas. Ricki también había huido.

Cuando la Espinosa me preguntó que con quién me estaba peleando, le dije que no sabía nada de ninguna pelea, que simplemente iba distraído y yo solo me había chocado con el olivo.

Me expulsaron una semana del colegio. Tenía un ojo morado y cardenales por todo el cuerpo, pero solo pensaba en Vanina.

14
LAS PALABRAS DE VANINA

Decidí pasar por el parque. Oía que el parque me llamaba. «Ven, ven», decía la voz, y yo no tenía miedo. Dejaba que las hojas que caían de los árboles me peinaran los pensamientos y sentía que nada me podía hacer daño. Me paré frente al banco azul y la vi. Vanina estaba sentada en el banco con un libro en las rodillas. Me acerqué y le dije:

—Vanina, ¿todavía piensas que soy un cobarde?

—¿Y por qué lo preguntas?

—Me he peleado con Ricki.

Ella me miró y dijo:

—No, ahora pienso que eres un estúpido y no me gusta perder el tiempo con gente como tú.

—No te entiendo.

—No me gustan las peleas...

Vanina no acabó la frase porque la voz se le quebró... y una lágrima se le escurrió por la mejilla. Yo me senté a su lado sin decir nada. El silencio se deslizó entre los dos. Se enjugó las lágrimas y me dijo que tuvo que irse de su país porque había guerra. Su padre se tuvo que quedar y ya hacía días que no tenían noticias de él, tenía miedo de que estuviera herido... herido o muerto. Me estremecí. Hubiera querido abrazarla entre mis brazos y decirle que todo iría bien, que la guerra se terminaría y podrían volver a estar juntos.

Le puse una mano en la rodilla y le dije que lo sentía mucho, que no sabía... Ella me dijo que no entendía la guerra, que no entendía las peleas...

—Dime, Tavi, ¿de qué nos sirve tener palabras si no las sabemos emplear? —Y sin esperar respuesta dobló el libro y se perdió entre los sauces.

Por un momento vi cómo las palabras de Vanina quedaban escritas en el banco. Por un momento vi cómo todos los que pasaban se paraban a leerlas.

15

EN CASA

Cuando llegué a casa, me entró un dolor de tripa terrible. Mi madre me miraba el ojo con cara de susto y me pedía explicaciones con impaciencia. Yo tenía un nudo en la garganta. Nada de lo que le pudiera decir me salvaría de aquel mal trago. Mi madre no me comprendía. Era un diálogo de sordos. Ella me reñía en chino, yo me defendía en ruso. Estaba solo.

—Cuando llame tu padre esta tarde, se lo cuentas todo, ¿entendido?

Yo suspiré. Ni Magnífico, ni Granratón colorado de los indios guayamiri. Nada de nada, y huí a la azotea.

Desde la azotea vi bailar a Vanina, ligera como el viento. Sebastián tenía el libro *Un*

beso de mandarina entre las patas y pasaba las páginas. Aquel gesto me iluminó.

«Gracias, Sebastián», le dije cogiendo el libro, emocionado. Corrí a buscar una hoja y un boli y escribí: «Vanina, tengo un libro para ti. Puede que no se doble como los tuyos, pero es el regalo más especial que he hecho nunca (el lunes próximo te lo llevo a clase)».

Quité los cordones de mis zapatillas, hice un agujerito en el papel y pasé el cordón. Finalmente puse el cordón en el cuello de Sebastián y le grité:

—Corre, llévaselo a Vanina, Sebastián.

Vi cómo Sebastián saltaba de azotea en azotea y esquivaba chimeneas y pararrayos, hasta la azotea donde bailaba Vanina.

Después, una niebla espesa llenó la noche y no podía ver nada más allá de mi nariz. Hacía tanto frío que tenía los pies y las manos ateridos. Esperé que Sebastián volviera con una respuesta. Cuando regresó llevaba un papel en el cuello. Impaciente, lo abrí y leí: «Tienes un gato muy listo y simpático. Firmado: Vanina».

Sonreí y dije: «Sebastián, tú eres más que un gato, eres Sebastián, el Gatnífico, Gatratón colorado de los indios gatguais».

Sebastián, de lo más contento, me dedicó una voltereta de las suyas y yo le rasqué la tripa.

Pero mi satisfacción duró bien poco. Cuando entré en casa, mi madre me pasó el teléfono:

—Tu padre, quiere hablar contigo.

Cogí el aparato, resignado:

—Hola, papá, ¿qué tal tiempo hace por allí?

—¿Estás seguro de que te interesa el tiempo, Tavi? —dijo la voz de mi padre.

—Bueno, yo…

—Tu madre me ha dicho que tienes que contarme una cosa…

—Sí…, una cosa…, esto…, a Sebastián le gusta cómo canto, ¿sabes?

—Tavi, en este momento no me interesan los gatos, quiero que me expliques qué ha pasado.

Por una vez mi padre se interesaba más por mí que por sus gatos, ¡era todo un consuelo!

—Está bien, papá, pero… —No sabía por dónde empezar, tenía que inventarme algo y dije con voz trascendente—: Papá, ¿no crees que hay cosas que es mejor hablarlas cara a cara?… El teléfono es tan… tan…

—Tienes razón, Tavi, y cuando regrese hablaremos con calma, si quieres, pero ahora es necesario que...

—Muy bien... te lo diré... pero... nada... bueno... quiero decir que me he peleado con Ricki y me han castigado sin clases unos días, ya está.

Entonces me iba a tapar las orejas para soportar mejor el alud de gritos y reproches cuando oí la voz de mi padre que decía:

—Ricki es un chico difícil, ¿no?

Y se abrió una rendija: tal vez no estuviera tan solo. Quizá mi padre fuera capaz de escucharme por una vez. Quizá yo también fuera capaz de decir cosas sin andarme con tapujos, sin esconderme. Le hablé de Ricki y de Vanina... de la rabia y de la ternura... de las amenazas y de las dudas... de la pelea y de la Espinosa. Mi padre me escuchó pacientemente, sin interrumpirme y, después, me dijo que estaba seguro de que iría encontrando la manera de solucionar mis problemas y que esperaba que reflexionara sobre ello.

Me despedí aliviado.

No sabía si los gatos echaban de menos a mi padre. Yo, sí.

Al día siguiente, subí a la azotea e hice un dibujo para Vanina: el olivo del patio y la nube que había cazado.

De nuevo lo até al cuello de Sebastián y le dije:

—Llévaselo a Vanina, Sebastián.

Vi cómo el sol se ponía tras las colinas, como una yema de huevo en las fauces de un lobo. Luego, en medio de la oscuridad, Sebastián volvió con un dibujo de Vanina: una puesta de sol en una playa.

El miércoles le dije que me gustaba escribir su nombre en las piedras de la azotea.

El viento me trajo setenta y seis hojas rojas y amarillas antes de que volviera Sebastián. Este llegó con la hoja setenta y siete por sombrero y un nuevo mensaje al cuello que decía: «Un día iré a ver tu azotea».

El jueves le dije que la echaba de menos.

El cielo estaba salpicado de nubes finas. Había una que parecía el ojo de un gigante que me hacía guiños, luego se deshilachaba y se hacía largo como la cuerda de una guitarra. Cerré los ojos y unos acordes lejanos me acunaron. Cuando abrí los ojos, Sebastián estaba allí y me traía orgulloso un nuevo mensaje: «Espero que vuelvas pronto».

El viernes le dibujé un beso. Mientras aguardaba, me leí tres cómics, conté las piedras de la azotea del derecho y del revés, di unas cuantas volteretas, me hice un cardenal en el trasero y me mordí las uñas.

Cuando ya creía que Sebastián no volvía, llegó un mensaje de Vanina que decía: «Creo que Sebastián se ha comido el mensaje o lo ha perdido, ¿tú qué piensas?».

Sebastián se lamía los bigotes, igual sí que se había comido mi beso.

El sábado no la vi. Me preocupé.

El domingo llovió todo el día.

16

A LAS CINCO EN EL BANCO AZUL

El lunes, cuando volví al colegio, Ricki, completamente solo —quiero decir sin Rufus y Tifus guardándole las espaldas—, me tendió la mano y me dijo:

—Gracias por no delatarme —y añadió—: ¿Amigos?

Dudé un instante, pero le tendí la mano.

Al entrar en la clase, la Espinosa nos informó sobre un concurso de canciones que convocaba una ONG por la paz, y añadió con un largo suspiro porque casi nadie la escuchaba:

—Bueno, si alguien tiene interés, que lo dudo, ya me lo hará saber. Ahora, ¡control!

Primero se hizo un silencio, después estallaron las quejas:

—¡No vale sin avisar!

—¡Esto es a traición!

—Es la ley del embudo.

—Nos quiere fastidiar...

—¡No hay derecho!

—¡Es injusto!

—¡Es cruel!

Y así hasta que la Espinosa gritó:

—¡Silencio absoluto! Primera pregunta: ¿cuántas patas tienen las arañas?

Una, dos, tres... siete conchas en la falda de Vanina.

¿Por qué las arañas tejen telarañas?

Para atrapar los cabellos de Vanina.

... Considerando esto, ¿cuántos saltos necesita hacer un canguro para llegar al mar?

Un salto me separa de sus labios.

¿Qué lleva la sangre hacia todas las células de nuestro cuerpo?

¿Y qué lleva Vanina bajo la camiseta? ¿Un top?

Haz un esquema del cuerpo y de sus partes.

Un, dos, tres... latidos de concha en mis orejas... no puedo dejar de mirarla.

A la hora del recreo vi que Ricki jugaba al fútbol. Genial. Era mi oportunidad. Me acerqué al arenero, llevaba el libro *Un beso de mandarina* camuflado.

—Me gusta tu gato —dijo ella.

—Se llama Sebastián —dije yo.

—Es un nombre curioso para un gato mensajero —opinó ella.

—Tienes razón… Son ideas de mi padre —dije y, después, añadí con un hilo de voz—: ¿De verdad no te llegó mi último mensaje?

—No, en el cordón no había nada. ¿Qué me decías?

Pues, te decía… un beso, si es que un beso se puede decir, dar o decir, da lo mismo. De momento me había atrevido a dibujarlo, a mi manera, claro, pero no se lo podía explicar. Ella me miraba con su pregunta en los labios y yo tenía las palabras enroscadas en la nuez del cuello. Me puse rojo como una tajada de sandía, sonreí y le di el libro.

Vanina se lo acercó a la nariz y olió las hojas mientras las pasaba con los dedos.

—Gracias, Tavi.

¿Qué encuentras en los libros, Vanina, que te gusta tanto?, iba a preguntarle cuando la pelota de fútbol vino a parar a mis pies.

—Pásamela, Tavi, que es nuestra —dijo la voz de Ricki.

—No, Tavi, pásamela a mí que es nuestra —dijo la voz de Pistraus.

Yo tenía la pelota en las manos. Ricki y Pistraus se encararon y comenzaron a pelearse. Primero ellos dos solos, pero después todo el equipo de Pistraus contra todo el equipo de Ricki. Era una batalla campal de insultos, arañazos, patadas y puñetazos.

Yo sentía cómo el corazón se me encogía. No me podía quedar contemplando aquella pelea con los brazos cruzados. Tenía que hacer algo. Entonces una fuerza extraña hizo que trepara al olivo y desde la rama más alta gritase:

—¡Basta!

Y aquel «¡Basta!» resonó por todo el patio y por todo el colegio, diría que por toda la ciudad. Todos se pararon y se extendió un silencio azul como el cielo.

—El padre de Vanina está en la guerra, hace días que no sabe nada de él, y vosotros solo pensáis en pelearos. Vanina necesita paz, necesita que la ayudemos todos —dijo mi voz.

Y el silencio volvió a caer sobre el patio, más azul que nunca.

Vanina se levantó y se marchó. El libro entre los brazos. Una lágrima en la mejilla.

—¿Y cómo podemos ayudarla? —preguntó Claudia.

Entonces el silencio se volvió humo y nos cubrió.

—Chicos —dije yo en medio de aquel humo negro—, quien quiera apoyar a Vanina que venga esta tarde al parque. A las cinco en el banco azul.

El mismo banco en que, por un momento, las palabras de Vanina quedaron escritas.

17
PRIMER ENCUENTRO

Aquella tarde, bajo el sauce del parque, estábamos un montón. Claudia, Noelia, Vadim, Paula… y hasta Ricki y Pistraus.

Todos querían hablar. Todos tenían ideas. Claudia pidió orden.

—Hablaremos de uno en uno, si no, no hay manera de entendernos. Tú, Noelia, coge una hoja y un lápiz y anota. Comencemos por la derecha. Di tú, Ricki.

Ricki dijo que Vanina era muy importante para él y que por su parte prometía no volverse a pelear delante de ella.

Todos aplaudimos, menos Pistraus.

Pistraus dijo que él se sumaba a la propuesta de Ricki, siempre que Ricki no lo provocara.

Ricki saltó y acusó a Pistraus de comenzar siempre las peleas.

Claudia volvió a poner orden y recordó que teníamos una misión, que no lo podíamos olvidar.

Vadim, que era un internauta fanático, dijo que buscaría toda la información que encontrara sobre la situación de la guerra en el país de Vanina.

Noelia y Paula dijeron que intentarían hablar más con Vanina para que no estuviera tan sola, pero Ricki dijo que eso no hacía falta, que ya podía hacerlo él. Eso, no sé por qué, me provocó un nudo en el estómago, y salté:

—Ni hablar, tú solo le cuentas mentiras, te inventas historias para impresionarla y todo es mentira.

—¿Me estás llamando mentiroso? —dijo Ricki agarrándome por el cuello de la camiseta.

Vadim y Claudia nos separaron. Claudia nos dijo que si no éramos capaces de controlarnos un poco no podríamos hacer nada.

Ricki y yo nos mirábamos por el rabillo del ojo. Claudia se disponía a continuar la reunión cuando Vadim dijo, mirando hacia la entrada del parque:

—Se aproximan problemas.

Todos volvimos la cabeza y vimos a los colegas de Ricki que se acercaban con cara de perdonavidas.

18
Tenemos problemas

Los tres, Rufus, Tifus y Ojodecristal, se plantaron delante del banco.

—Hola, Ricki, ¿cómo dejas que estos renacuajos ocupen nuestro banco? —dijo Tifus.

—No son renacuajos, son mis amigos —dijo Ricki sin dudar.

—¿Tus amigos, dices? ¿Y nosotros qué somos?

—Ya hablaremos, Tifus, ahora estamos trabajando, dejadnos tranquilos.

—No te reconozco, Ricki, estos niños te han cambiado.

—Déjalo en paz, Tifus —dijo Rufus interviniendo por primera vez—; es pequeño todavía.

—Tienes razón, Rufus, ¿qué te parece si barremos el banco de criaturas? Huele fatal con tanto crío —dijo Tifus.

—El banco no es vuestro —dijo Claudia, valiente.

Entonces Ojodecristal se enfrentó a Claudia, pero Ricki se puso en medio de los dos. Rufus sujetó a su compañero y dijo:

—Tranquilo, Ojodecristal, es una niña y la harás llorar. Vámonos, que está muy feo pelearse delante de las niñas.

Ojodecristal se apartó y siguió a sus colegas.

Miramos cómo se alejaban.

—Lo siento —dijo Ricki rompiendo el silencio.

—No entiendo cómo te puedes juntar con ellos —dijo Noelia.

—No son tan malos como parecen —explicó Ricki—, solo se comportan así cuando van los tres juntos.

—Vaya, como tú, ¿no? —saltó Claudia.

—¿Qué insinúas? —se quejó Ricki.

—Piensa un poco y lo sabrás —contestó Claudia.

—Bueno, olvidémonos del incidente y recordemos todo lo que habíamos dicho —dije yo para calmar los ánimos.

Ricki se quedó callado.

Noelia leyó las propuestas que había anotado en una hoja.

Todo lo que habían dicho mis compañeros me parecía muy bien, pero no era suficiente.

Era preciso hacer algo más, era necesario que Vanina volviera a sonreír.

Entonces, sorprendentemente, un gato blanco saltó de la rama más alta y salió huyendo hacia el estanque. ¿Era Sebastián? No lo sé, pero lo fuera o no, me abrió los ojos.

—¡Ya lo tengo! —dije.

19
UNA CANCIÓN

Todos me miraban expectantes.

—Una canción, necesitamos una canción —dije.

—¿Qué dices? —preguntaron ellos.

—Hoy la Espinosa ha hablado de un concurso de canciones por la paz. Participaremos.

Y como mis compañeros ponían cara de no comprender nada, les expliqué la teoría de mi padre y cómo había parado la pelea de los gatos con la canción *Boig per tu.*

—Mira que eres ingenuo —se rio Ricki.

—Pues a mí me parece una idea excelente —dijo Claudia—. Ha dicho que harán un concierto con las mejores canciones y, después, las enviarán a todos los países que estén en guerra.

—¿Y cuánto tiempo tenemos? —preguntó Paula.

—Eso no lo ha dicho, pero mañana se lo podemos preguntar —dijo Claudia.

Noelia y Paula dijeron que ellas escribirían la letra y Vadim dijo que él sería el técnico de sonido. Pistraus se puso muy serio y dijo que él no sabía tocar ningún instrumento.

—No te preocupes, Pistraus, yo te enseñaré a tocar el tambor de las olas —le ofreció Claudia.

—El tambor de las olas, ¿y eso qué es? —preguntó él.

—Ya lo verás, yo tocaré el palo de lluvia y tú el tambor de las olas —sentenció Claudia misteriosamente.

Finalmente Ricki, contagiado por el entusiasmo de los otros, dijo:

—Bueno, si insistís en la idea y necesitáis un saxo, os puedo echar una mano.

—Fantástico —dijo Claudia, y después se volvió hacia mí y añadió—: Y tú, Tavi, tocas la guitarra, ¿no?

—Pues claro —respondí tragando saliva. Ante todo aquello, si ya no recordaba cómo tocar la guitarra, daba lo mismo; me pondría a estudiar.

—Y cantar, ¿quién cantará? —pregunté.

—Nosotras —dijeron Paula y Noelia a la vez.

—Está bien, pero también necesitaremos alguna voz de chico. ¿Quién se anima? —preguntó Claudia. Pero Pistraus dijo que él desafinaba, Ricki que si soplaba el saxo no podía cantar, Vadim que los técnicos de sonido tenían que ocuparse del sonido y no de cantar.

—Pues Tavi —decidió Claudia por mí.

Yo iba a protestar pero todos estuvieron de acuerdo en que mi voz era perfecta, y que, además, tocar la guitarra y cantar no era incompatible. Y, la verdad, por una vez que estaban todos de acuerdo no quería estropearlo. Así pues, me callé.

Aquella idea me dio alas.

Decidimos no decirle nada a Vanina, queríamos darle una sorpresa. Yo le pregunté a mi hermano si me podía dar unas clases de guitarra.

—Tavi, tú tienes fiebre, ¿no?

—Mira, Tómic, es muy importante que me ayudes. Ahora no te puedo explicar los detalles pero es una cuestión de vida o muerte.

Y mis palabras sonaron tan trágicas, tan auténticamente vitales, que convencieron a mi hermano.

—De acuerdo. Te diré cuatro cosas básicas, pero, si quieres aprender, tendrás que practicar mucho.

Y todas las noches, después de cenar, nos encerrábamos en la habitación y me enseñaba los acordes y la posición de los dedos.

Muchas noches subía a la azotea a tocar para no despertar a nadie. Sebastián se ponía muy contento, se tumbaba a mis pies y escuchaba.

Cuando me paraba, miraba más allá de las azoteas, pero Vanina no estaba.

20
¿De quién es el mar?

La Espinosa se quedó patidifusa cuando le dijimos que queríamos participar en el concurso. Primero preguntó si era el día de los inocentes, pero cuando vio que hablábamos en serio, nos dio un papel con las bases. Teníamos tres semanas, había que grabar la canción y enviarla a la sede de la ONG antes de que se acabara el mes de noviembre. Un jurado seleccionaría las diez mejores canciones. Los finalistas actuarían en un concierto en la plaza del Ayuntamiento.

Desde ese día aprovechábamos todas las horas libres que teníamos.

La hora del recreo, también. Trepábamos todos al olivo y nos poníamos al día. Claudia trajo sus instrumentos. El palo de lluvia era

como un telescopio de madera y cuando lo
movías oías la lluvia que caía. Era tan real que
Vadim gritó:

—¡Parad, que me estoy mojando!

El tambor de las olas nos llevó hasta el mar.
Cerramos los ojos y fue como si estuviéramos
sentados en la playa y nos meciesen las olas.

Un día estábamos en el banco azul del parque, ensayando ritmos y melodías con todos los instrumentos. Cuando hicimos un descanso, Vadim nos explicó que se había informado y que en el país de Vanina había unas playas preciosas y un mar de ensueño. Pero el país vecino decía que el mar era suyo. Les querían robar las playas y el mar.

—Pero si el mar no es de nadie —saltó Claudia.

—No es de nadie y es de todos —dijo Vadim.

—El mar quizá no, pero este banco, sí —soltó una voz grave desde detrás del sauce.

Todos nos dimos la vuelta: era Ojodecristal.

—Los colegas están a punto de llegar, os quiero fuera de aquí —nos amenazó.

—Vete, Ojodecristal, nosotros tenemos trabajo —dijo Ricki.

—Espera, Ricki, a lo mejor a tu amigo le interesa lo que estamos haciendo —intervino Claudia y, luego, le preguntó a Ojodecristal—: ¿Te gusta la música?

—Ya sé lo que estáis haciendo, pero no entiendo por qué os preocupáis por una guerra que sucede a miles de kilómetros —dijo Ojodecristal sin escuchar a Claudia.

—¿Qué le pasó a tu ojo? —preguntó de nuevo Claudia sin andarse por las ramas.

Todos sabíamos que había ocurrido a causa de una pelea.

Por un puñetazo fuerte el ojo izquierdo le lloraba y las lágrimas lo hacían transparente como un cristal.

—¡Eso no os importa! —refunfuñó él.

—Mi bisabuelo perdió un ojo en la guerra —dijo Vadim.

—¿Y qué importa un ojo? —saltó Ojodecristal—. El mío se dejó la piel. Tenía veintidós años y le pegaron un tiro en el corazón.

El silencio barrió el parque entero y las ramas del sauce se mecieron.

Ojodecristal se acercó al banco y dijo:

—A mí me gusta la música rap.

Le invitamos a que se sentara en el banco y le pedimos que nos cantara algo.

—Tienes una voz rompedora —dijo Claudia cuando terminó. Ojodecristal se hinchó como un pavo real.

Después, se interesó por nuestra canción y, sorprendentemente, pasamos un buen rato juntos improvisando ritmos y canciones.

21
RUFUS Y TIFUS

Cuando Rufus y Tifus aparecieron, nos vie- ron tan enfrascados en nuestras cosas que no sabían qué pensar. Tifus miró a Ojodecristal y dijo:

—¿Qué está pasando aquí, Ojodecristal?

—Bueno, he pensado que podemos dejarles el banco si nos pagan en especies —dijo Ojodecristal.

—¿Especies?, ¿a qué especies te refieres? —preguntó desconfiado Tifus.

—Bueno, eso todavía no lo hemos pactado... yo...

Ojodecristal se sentía perdido y las miradas de Tifus y Rufus lo taladraban como si se tratara del peor de los traidores. Tifus iba a estallar cuando yo grité:

—¡Música!

—¡En qué estás pensando! —gruñó Tifus—. Quiero que salgáis de aquí ahora mismo.

Y, la verdad, todos estábamos dispuestos a salir pies para qué os quiero cuando Claudia se plantó:

—Escuchad, sabéis perfectamente que este banco no es vuestro y no tenéis ningún derecho sobre él. En cualquier pelea ganaríais, en eso sois los mejores, pero dudo que lo seáis en ninguna otra cosa.

—¿Qué insinúas? ¿Acaso es un reto? —preguntó Tifus.

—Pues sí, os propongo un reto. Si os atrevéis, claro —los invitó Claudia.

—A nosotros no hay nada que se nos resista, chavala —dijo Rufus haciéndose el gallito.

—Pues, adelante, os propongo participar en el concurso de canciones por la paz como nosotros. Haced vuestra canción y los que consigan la mejor canción decidirán de quién es el banco.

Rufus y Tifus se meaban de la risa. Ojodecristal, en cambio, miraba a Claudia fascinado.

—Hacer una canción no tiene ningún secreto para nosotros, tengo un colega que toca en un grupo de rock, tiene batería y guitarras eléctricas por un tubo —dejó caer Tifus.

—Entonces, ¿trato hecho? —aventuró Claudia.

—¿Y cuánto tiempo tenemos? —preguntó Rufus.

—Dos semanas —contestó Claudia.

Rufus, Tifus y Ojodecristal se miraron entre ellos. Se conocían tanto que se entendían con los ojos. Finalmente Tifus se giró hacia Claudia y dijo:

—Trato hecho.

—Genial —dijo Claudia.

—Y, por cierto, ¿cómo se llama vuestro grupo? —preguntó Rufus.

—Buena pregunta —saltó Vadim—; ese punto todavía no lo hemos tratado.

Entonces el cielo se cubrió con unas nubes tan negras como el carbón.

Y, en un abrir y cerrar de ojos, un relámpago partió el cielo en dos y se desencadenó una tormenta. Todos corrimos a refugiarnos en el templete que había en el centro del parque.

Desde allí debajo contemplamos la tormenta. Los truenos hacían temblar columnas y árboles. La lluvia se llevaba peleas y pesadillas. Y yo, secretamente, soñaba con el cabello de Vanina.

22

CLAUDIA

Al día siguiente me encontré a Claudia en el banco azul con un cuaderno lila entre los dedos. Cuando me acerqué, lo cerró.

—¿Qué escribes? —le pregunté.

—Cosas mías —dijo escondiéndose el cuaderno bajo el jersey.

—Ayer fuiste muy valiente.

—Pensaba que solo tenías ojos para Vanina.

Me puse como un tomate, no quería hablar de aquel tema con Claudia.

—¡No exageres! —dije.

—Hay cosas que no se pueden disimular —dijo ella.

—¿Te puedo hacer una pregunta, Claudia?

—Sí, claro, tú hazla y yo ya decidiré si respondo o no.

—El día de la librería me dijiste que encontrabas secretos en el patio y he pensado que a lo mejor tú sabes... —aventuré.

—Sí, di, qué... —se impacientó ella.

—No... bueno... quería saber si... esto... si era cierto que Vanina estaba colada por Ricki.

Claudia esbozó una sonrisa.

—¿Y qué te hace pensar eso?

—Me lo dijo Ricki —contesté yo.

—¿Y por qué no se lo preguntas a ella? —propuso Claudia como si eso fuera la cosa más fácil del mundo.

—Me da miedo... si me dijera que... yo...

—Lo siento... no he interceptado ningún secreto de Vanina, pero tuyo sí —me cortó ella.

—¿Mío? ¿Cómo? —dije asustado y sorprendido.

—El otro día me encontré a tu gato blanco pasando por mi azotea. Llevaba un papel atado al cuello. El papel se quedó prendido en la barandilla, y cayó en mi balcón —me contó divertida.

—¿Y qué has hecho con él? Quiero que me lo devuelvas —le ordené inquieto.

—Quizá otro día. De momento lo guardo en mi cuaderno de tesoros. —Y señaló el cuaderno que había escondido.

—Me lo tendrías que haber dicho —dije confundido, no sabía si reírme o enfadarme.

—No te muevas —dijo ella de pronto—, se te ha caído una pestaña.

Y pasó su dedo por mi mejilla, la recogió y dijo:

—Piensa un deseo y sopla.

—¿Y por qué tendría que hacerlo? —pregunté.

—Si la pestaña vuela, tu deseo se cumplirá —me aclaró.

—¿Y si no lo hace?

—Pues no.

No tenía nada que perder. Cerré los ojos, me concentré en mi deseo y soplé con todas mis fuerzas. La pestaña voló.

—Siempre nos gusta la persona equivocada —comentó ella.

—¿Por qué lo dices? —pregunté con curiosidad.

—Mira, Noelia está colada por Vadim. Pero a Vadim le gusta Paula. A Paula le gusta Ricki. A Ricki, Vanina... y a Vanina...

—Continúa —dije con impaciencia.

—Quién sabe… —comenzó ella, enigmática.

—¿Y a ti? —le pregunté.

—No te enteras de nada, Tavi. —Se levantó y me dejó con la boca abierta.

23
¿DÓNDE ESTÁ VANINA?

La Espinosa entró en clase con cara de manzana ácida y dibujó una lengua en la pizarra. Ricki comenzó a hacer muecas y la Espinosa, aunque estaba de espaldas, le dijo:

—Ricardo, te estoy viendo, métete la lengua en el bolsillo.

Tal vez tuviera ojos en la nuca, la mujer; unos ojos de hormiga ocultos bajo su pelo de erizo. Se dio la vuelta como un soldado, media vuelta, y empezó a ametrallarnos con los dientes:

—En la lengua, como ya sabéis o tendríais que saber si escucharais con los oídos y no con los pies, como hacen algunos que yo me sé, está el sentido del gusto. Este sentido se divide… en cuatro partes: amargo, dulce, salado y ácido.

Vanina tenía el capuchón del boli en la boca. No creía que ninguna parte de su lengua fuera amarga… Quizá dulce como una cereza, o salada como una almendra… Quizá fresca como un campo de hierba, o ácida como un limón.

Cuando salimos al patio, me quedé el último, cogí el capuchón de su boli y me lo puse en el bolsillo.

Vanina estaba sentada en el arenero con su libro, muy lejos.

Me acerqué a ella y le pregunté si sabía algo de su padre. Negó con la cabeza y volvió a sumergirse en el libro.

—¿Qué lees, Vanina?

Ella me mostró el libro y vi que era *Un beso de mandarina*.

—Es la tercera vez que lo leo —dijo.

—Dime, Vanina, ¿qué encuentras dentro de los libros?

—Historias que me acompañan… y acaban bien, como esta —dijo señalándome el libro.

—¿Y esta historia de qué habla? —pregunté.

—Es una historia de amor —me susurró al oído y, después, le ondeó el pelo.

Aquella noche probé el capuchón del boli de
Vanina, pero no distinguí más que un gusto
de pistacho plastificado que se me quedó en el
paladar durante horas.

Al día siguiente Vanina no vino al colegio.

Ni al otro.

Ni al siguiente del otro.

Me preocupé y decidí ir a buscarla a su casa. Tenía miedo y sentía que el corazón me latía en la nuez del cuello.

Me abrió su madre. Detrás de ella había un montón de ojitos que me observaban, eran los hermanos pequeños de Vanina. La mujer me dijo que Vanina estaba enferma y que no quería ver a nadie.

Me habría gustado apartar a aquella mujer del paso y gritar que la quería ver porque la amaba, pero no lo hice.

Me volví a casa y me pasé la noche en la azotea con la guitarra.

Al día siguiente reuní al grupo y les recordé que el sábado grabaríamos la canción. Todos protestaron.

—Pero, Tavi, vamos muy retrasados, es imposible —intervino Ricki.

—Si en vez de perder el tiempo en quejas nos ponemos a trabajar, no lo será. Ahora ya tenemos toda la letra, ¿no es así, Paula?

—Bueno, sí, pero todavía no estamos seguras del todo… —dijo Paula.

—Bueno, desde hoy hasta el próximo sábado quedaremos todas las tardes para ensayar, pero el sábado quiero grabar la canción sin falta y enviarla —dije convencido—. Si la reciben fuera de fecha, no la escucharán.

24
UN CAPITÁN
NO ABANDONA

Aquella semana fue una locura. Después de darle muchas vueltas y de muchas discusiones, decidimos que el nombre del grupo sería Bigotesdegato, en honor al gato que me había inspirado la idea: Sebastián. Vadim decía que el nombre tenía una sonoridad perfecta y que ya lo veía colgado en carteles en las paredes de la calle, anunciando una gira de macroconciertos. Los otros se reían, pero todo el mundo estaba encantado.

Pasamos las tardes ensayando en la azotea. Los primeros días nos desesperábamos porque no sonaba como queríamos que sonara.

Además, no tener noticias de Vanina hacía que me sintiera vacío. Había intentado comunicarme con ella a través de Sebastián, pero volvía con los mensajes intactos colgados del cuello. El jueves el ensayo era un auténtico guirigay, un sálvese quien pueda. Nadie me escuchaba. Me levanté y dije que abandonaba, que mi guitarra desentonaba y estropeaba la canción. «Es mejor que lo hagáis sin mí», dije antes de ponerme a llorar. Estaba desconsolado. Claudia se acercó y me dio un beso en la mejilla y me dijo que era el mejor guitarrista del mundo y que si yo abandonaba, ella también. Noelia y Paula se sumaron a la idea de Claudia. Y, claro, Vadim, Ricki y Pistraus se añadieron. Claudia dijo que yo los había llevado hasta allí, que yo era el capitán del barco y que un capitán no puede abandonar jamás. «Exacto», dijo Ricki y añadió: «Es más, si el barco se hunde un buen capitán se hunde con él». «Eso mismo», dijeron Vadim y Pistraus a una. «Y yo diría todavía más», dijo Paula. «Te necesitamos». «Sí», añadió Noelia. «Eres absolutamente imprescindible». «En una palabra, eres el alma del grupo», sentenció Claudia. «Efectivamente», dijeron todos a una. Yo los escuchaba boquiabierto, me costaba creer que pudieran estar hablando de mí. Pero era evidente que eran sinceros y sus palabras me tocaron de tal manera que por primera vez sentía que tenía amigos, amigos de verdad. Me levanté y dije:

—Tavi, el Magnífico, Granratón colorado de los indios guayamiri, no se rinde, me habéis convencido.

Eso les hizo mucha gracia y acabamos todos riendo.

El viernes la cosa empezó a funcionar. Comenzaba a parecer una canción de verdad. Mi hermano subió a escucharla y nos felicitó, eso sí, sin olvidar darnos cuatro consejos de experto.

Por la tarde, cuando mi padre llamó por teléfono, le conté que mis amigos y yo habíamos compuesto una canción y que la queríamos grabar, si nos dejaba su estudio. Se quedó muy sorprendido. Me dijo que sí. Estaba contento de que yo volviera a tocar la guitarra.

Todo estaba a punto. Solo faltaba que llegase el sábado. Envié otro mensaje a Vanina. Le pedía que viniera el sábado al estudio: calle de la Luna, 7. Aquel día Sebastián volvió sin ningún mensaje. Dudé, pero quise creer que lo había recibido.

25
GRABACIÓN

El sábado a las cinco todos fuimos puntuales. Todos, menos Vanina.

Nada más llegar, me extrañó encontrar la puerta medio abierta.

—Tal vez haya sido tu hermano —sugirió Claudia al verme preocupado.

—Tal vez sí —dije poco convencido—, me ha dicho que vendría más tarde para echarnos una mano.

Esperamos a Vanina un buen rato, pero no aparecía.

Dije que grabaríamos aunque ella no estuviera. Lo intentamos, pero... Noelia tenía la voz ronca y a Ricki le sudaban las manos. A Paula le picaba la nariz y a Pistraus le entró hipo. Vadim se equivocaba de botones

todo el rato y yo no podía dejar de mirar la puerta.

Luego Claudia dijo que notaba una presencia extraña, pero que no sabía qué era.

—Igual hay ratas —dijo Pistraus. Paula y Noelia chillaron.

Entre unas cosas y otras, más que un conjunto parecíamos una olla de grillos.

Estábamos a punto de abandonar desesperados cuando... llegó Vanina.

Ricki y yo corrimos hacia ella y le ofrecimos una silla. Estaba pálida y demacrada.

—Vanina, solo queremos que escuches —le dijimos.

Todos ocupamos nuestros puestos. Se hizo un silencio sepulcral.

Era la hora de la verdad.

Vadim dio la señal de salida.

Sonaron los acordes de la guitarra. Sentía que mis dedos se movían solos.

Ricki entró a fondo con el saxo.

Las voces de Noelia y Paula inundaron el estudio.

Queremos escuchar el mar
como música al pasar.
(Y Pistraus tocaba el tambor de las olas).

Queremos oír la lluvia
y el latido de la luna.
(Y Claudia tocaba los palos de lluvia).

Los bancos son solo del parque
y todos pueden sentarse.
El mar es solo del mar
y nadie lo puede robar.
(Pistraus tocaba el tambor de las olas, y
Noelia, Paula y yo cantamos la última estrofa).

Que los soldados canten canciones,
bailen hip-hop o rock and roll
como una danza de colores
y que de noche brille el sol.

Entonces sí, entonces sonó mejor que nunca.
Vanina escuchó en silencio y con los acordes
finales le ondeó el pelo.

Se terminó la canción y los aplausos reso-
naron por todo el estudio. Vanina dejó de

aplaudir, pero había más aplausos. ¿De quién eran?

Había alguien dentro del armario.

El armario se abrió y...

26
EL RAP DE OJODECRISTAL

Ojodecristal apareció como un fantasma. Todos nos quedamos de piedra. Nadie se movía. Él avanzó hacia nosotros, hizo una reverencia y dijo que había sido muy guay, «guay del Paraguay, chavales». Y después fue derecho a Claudia, la levantó en el aire y le dio un beso. Claudia se puso colorada y todos nos reímos.

—Y bueno, ¿cuándo me vais a dejar venir a tocar la batería? —dijo Ojodecristal.

—¿Y vuestra canción? —preguntó Ricki.

—Hemos tenido problemas, mi colega tuvo que vender la batería porque tenía deudas —contó Ojodecristal— y las guitarras estaban sin cuerdas.

—¿Has venido solo? —preguntó Claudia.

—Sí...

—¿Y los demás? —preguntó Ricki.

—Bueno..., la verdad es que esos dos están muy ocupados... Dicen que no pueden perder tiempo en niñerías y yo... —intentó explicar Ojodecristal.

—Niñerías, ¿dices? —solté yo ofendido.

—Espera, Tavi, tranquilo —intervino Claudia—. Y a ti Ojodecristal, ¿qué te parece?

—Pues a mí me gustaría... bueno... me gustaría cantar y...

—¿Te gustaría cantar con nosotros?, ¿es eso lo que nos quieres decir? —se adelantó Claudia.

—Bueno, yo he escrito una cancioncilla y querría que la escucharais.

—Genial —dijo Claudia.

—El escenario es todo tuyo —añadí yo.

Todos nos sentamos para escuchar a Ojodecristal, y justo cuando se disponía a empezar llegó mi hermano.

Ojodecristal no se cortó, puso la música y empezó a cantar y a bailar a ritmo de rap:

Si canto rap, voy a saco
y es mejor que ir flipao.
En el parque, qué vaivén,

veo el mundo del revés:
ni pringaos ni colgaos,
ni balazos ni soldaos.
Las heridas son mentiras
y enemigos más amigos,
no hay guerras ni peleas
ni perdidos en la niebla.
Si canto rap, voy a saco
y es mejor que ir flipao.

Cuando acabó la canción estábamos todos bailando.

Le aplaudimos un buen rato.

—Es la caña —saltó Vadim.

—La enviarás al concurso, ¿no? —pregunté yo.

—No, paso, chicos, yo solo no tengo ninguna opción.

—Un momento —intervino mi hermano, que había escuchado con mucha atención—: ¿Por qué no unís fuerzas?

—¿A qué te refieres? —pregunté.

—Podéis coger lo mejor de cada una de las canciones y hacer una, más potente, con más fuerza —explicó.

—Sí, me parece una buena idea —exclamó Claudia.

—Ojodecristal podría cantar con nosotras, otra voz masculina nos iría muy bien —dijo Paula.

—Estáis pirados, chicos, mañana se acaba el plazo —dijo Ricki—; no tenemos tiempo de hacer inventos.

—Tenemos toda la noche, si hay ganas de trabajar no hay problema —dijo mi hermano decidido—, yo os ayudo.

—Yo tendría que llamar a casa —dijo Vadim.

—Y yo —dijeron Paula y Noelia.

—Y yo —añadieron Ricki y Pistraus.

—A ver, Tómic, ¿de verdad piensas que merece la pena? —le pregunté muy serio.

—Palabra de hermano, Tavi, vuestra canción ganará mucho con la aportación de Ojodecristal.

—Pues no hablemos más, ¡a trabajar! —sentencié.

Entonces nos organizamos: unos fueron a telefonear a sus padres, y los otros a buscar comida y bebidas para todos.

Mi hermano se quedó a estudiar los arreglos.

Trabajamos hasta las tres de la madrugada. Éramos un auténtico equipo, incluso Vanina se animó a cantar.

Finalmente grabamos la canción y, agotados pero muy satisfechos, nos fuimos a dormir.

27
Esperando en la azotea

Recuerdo muy especialmente los días que siguieron.

Vanina volvía a tener los ojos brillantes y el pelo al viento. Era como si aquellas canciones le hubieran dado la vida.

Cada tarde me acompañaba a la azotea y mirábamos el cielo hasta que se hacía de noche.

Ella me hablaba de su país, de la playa y las puestas de sol. Me hablaba de los libros que leía. Un día me contó que su padre tenía una pequeña librería. Una noche le rompieron los cristales y la quemaron. Lo perdieron todo. Todo, menos unos cuantos libros. Los libros que salvó su padre eran muy peculiares, se doblaban como un pañuelo y te los podías guardar en el bolsillo. Eran los libros que ella leía y solo su padre conocía el secreto.

Cuando nos cansábamos de hablar, me pedía que le tocara la guitarra y escuchaba en silencio de cara al cielo. Sebastián se enroscaba en su regazo y le lamía los dedos. La música y las estrellas nos arropaban como una cueva.

Cuando ella se iba, yo escribía en las piedras de la azotea:

VANINA, LABIOS DE MANDARINA

Sebastián quería leerlo y se frotaba los bigotes.

Un día, cuando llegué a casa, la encontré conversando con mi hermano. Reían. Cuando le pregunté de qué hablaban, me dijo enigmática:

—Cosas de cuando erais pequeños, Tavi, el Magnífico.

Intuí que mi hermano le había contado más cosas de las que yo quería.

Estábamos en diciembre y cada día hacía más frío.

Una noche me dijo que tenía miedo.

Tenía miedo de que su padre no regresara jamás.

Yo también tenía miedo. Tenía miedo de perderla, pero no se lo dije.

Le cogí la mano, y me latía el corazón entre los dedos. Entonces empezaron a caer unas gotas de lluvia grandes como granos de uva. Yo me quité el jersey y le cubrí la cabeza para que no se mojara, pero ella quería mojarse. Me devolvió el jersey y me dijo:

—¿Sabes?, en mi país iba a clases de danza... Lo echo de menos.

—Adelante, la pista es tuya, muéstrame cómo lo haces.

Vanina se levantó e hizo unos pasos. Su cuerpo se movía ligero al ritmo de la lluvia.

—Adivina a qué sabe la lluvia —dijo abriendo la boca para probar las gotas.

«La lluvia sabe a lluvia», pensaba yo atrapado por el vuelo de sus pies... las dunas de su pelo... el secreto de sus pechos... Deseaba descubrir el gusto de la lluvia tanto como el gusto de sus labios, ahora, color de lluvia.

—Sabe a otoño... a nube... a uva —dijo divertida.

Yo me reí.

Hubiera querido detener el tiempo en ese instante, sacar una foto y quedarme dentro. Ella y yo, juntos, bajo la lluvia.

28
Tal vez no vuelva

—En la retina las imágenes se borran tan deprisa como se forman... —recitaba la Espinosa— ... en una décima de segundo...

«Te espero esta noche en la azotea», escribí en la goma de borrar y la dejé caer a los pies de Vanina. Esta la recogió y me guiñó un ojo. Si mi vida fuera un DVD podría ir hacia detrás y hacia delante como yo quisiera y congelar la imagen para que no desapareciera.

—Los bastoncillos perciben imágenes en blanco y negro y en gris, propias de la visión nocturna. Los conos perciben los colores a la luz del día... —dictaba soporífera la Espinosa...

Un DVD de colores, evidentemente, y no se hable más.

Las clases se acabaron y Vanina me dijo adiós con la mano. Querría rebobinar hacia delante hasta la noche, justo a la hora en que Vanina llegaba a la azotea. Sssssssssss, ruido del rebobinado. *Stop*.

La noche había caído sobre la azotea y estábamos solos. Ella, yo y los gatos.

—Tavi, tal vez mi padre esté muerto.

—No digas eso, Vanina, muy pronto tendrás noticias —le contesté.

—Lo sueño en blanco y negro.

—¿Y qué? Eso no quiere decir nada. La Espinosa ha explicado hoy que de noche las imágenes son en blanco y negro.

—Antes siempre lo soñaba en colores.

No le dije que yo siempre la soñaba a ella en colores.

No le dije que veía los colores de sus labios y de sus ojos, tal como eran, dentro de la noche.

—¿Cuántos días han pasado, Tavi? ¿Cuántos días más piensas que podemos esperar?

Yo no sabía cómo animarla...

—Las canciones suenan muy bien pero no sirven para nada —dijo con una voz amarga como nunca le había oído—; no deja de ser todo muy estúpido.

Sus palabras cayeron sobre mi cabeza como la bola del mundo. No fui capaz de pensar que lo decía porque tenía un mal día y estaba desanimada, no, me lo tomé al pie de la letra y le solté:

—A lo mejor tienes razón, pero si crees que tus amigos son estúpidos y lo que hemos hecho también, no hace falta que vengas más.

Ella me dijo que no era eso pero… Yo me tapé las orejas, no quería oírla.

Ella me miró y se marchó.

Sentí como una punzada en el corazón. Aquella punzada se me quedó clavada muchas horas… días…

Vanina no volvió a la azotea.

En el colegio, no me hablaba.

Yo tampoco.

Miraba de lejos cómo hablaba con Ricki y deseaba volverla a sentir a mi lado, pero estaba paralizado.

Me encerraba en la habitación y tocaba la guitarra con Sebastián a mis pies. La guitarra y Sebastián eran las únicas cosas que me aproximaban a ella.

Un día Ricki me paró a la salida del colegio y me dijo:

—¿Qué te pasa con Vanina?

—No te importa —dije recordando al Ricki bravucón de principios de curso.

—No te entiendo. ¿No ves que está hecha polvo?

Pero aquel ya no era el Ricki de antes y eso me descolocaba.

—Pues no es culpa mía —me excusé yo, incómodo.

Ricki me miró muy serio y me dijo:

—Tienes que saber una cosa.

—...

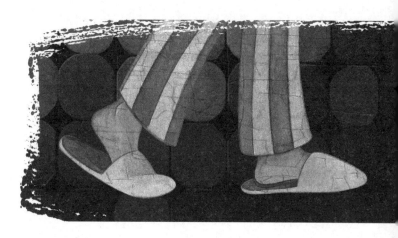

—Te mentí —confesó.

—¿Cuándo?

—Sí… Aquel día… cuando te dije que Vanina estaba colada por mí —intentó explicarse él.

—¿Y? ¿No era así?

—No. Lo siento…

—Qué más da, ahora ya es tarde, y yo tampoco le gusto —le dije.

—No estés tan seguro —acabó él.

Ricki se marchó y yo sentía un nudo en el estómago.

Esa noche soñé que Sebastián me traía una carta de Vanina que decía que la guerra se había acabado y que se quedarían a vivir aquí para siempre porque me quería.

Lo soñaba, solamente.

El sueño me había desvelado y no podía dejar de pensar. Tenía que hacer algo. Decidí escribirle:

«Perdóname, me gustaría que volvieras» y anudé el mensaje al cuello de Sebastián.

29
Buenas noticias

Al día siguiente, vi una sombra blanca en la ventana que se escapaba hacia arriba. Era Sebastián. Corrí a la azotea.

Estaba Vanina. Traía una carta.

Me sonrió durante un rato.

—Noticias de mi padre. Toma, lee.

Yo leí en voz alta:

Querida familia:

Siento haber estado tanto tiempo sin enviaros noticias, pero me hirieron. Nada grave, ya casi estoy curado. Estuvimos mucho tiempo incomunicados. Ahora las cosas se han calmado. Estoy en el hospital, pero pronto me darán el alta.

Ahora estamos en situación de tregua. Hay una reunión y creo que intentarán llegar a un acuerdo. Tengo esperanzas.

Si es así, pronto podremos estar todos juntos otra vez.

Pienso mucho en todos vosotros y os añoro. Muchos besos.

Yussuf

Cuando acabé de leer, me abrazó y sentí su pelo como una caricia en mi mejilla.

Me dijo que la perdonara, que aquel día había estado muy desagradable, que...

La hice callar y le dije que no sufriera, que yo tampoco había sabido encontrar palabras para ella.

Al día siguiente recibí una carta diciendo que nuestra canción había sido seleccionada entre las diez mejores y que el sábado nos esperaban para actuar en la plaza del Ayuntamiento. Estaba tan contento que botaba como un canguro por el pasillo de casa. Mi madre se creyó que me había vuelto loco, pero mi hermano sin preguntarme nada supo lo que me ocurría. A mi madre le di un beso en la nariz y a mi hermano un abrazo que casi lo ahogo, sin él no hubiera sido posible.

Después, salí a la calle y fui a anunciar la buena noticia a todos los Bigotesdegato.

Ricki dijo que para celebrarlo nos invitaba a merendar a su casa. La merienda terminó con una guerra de cojines y calcetines en el cuarto de Ricki. Ese día todos estábamos contentos.

Mi padre regresó esa noche y se lo expliqué todo. Le hice un resumen rápido de la canción. Se alegró mucho y dijo que nos iría a ver, que no se lo perdería por nada del mundo.

—¿Sabes, Tavi? No sé si algún día llegarás a ser músico o no, pero creo que harás grandes cosas.

—¿Y por qué lo dices?

—Es magnífico que os hayáis puesto de acuerdo para hacer una canción como esta —y añadió con una sonrisa—: De pequeño te llamaba a menudo Tavi, el Magnífico, ¿te acuerdas?

—Sí, perfectamente. Creía que eras tú el que no lo recordaba…

—Ya estamos, siempre desconfiando de tu padre… Continúa así y te castigaré con el mal de la risa —me amenazó mi padre con el dedo alzado y la risa en los ojos.

El mal de la risa era insoportable e irresistible al mismo tiempo. Eran unas cosquillas que tenía en una zona de la rodilla y que mi padre conocía muy bien.

—No, por favor, no podría soportarlo —dije protegiéndome con las manos.

—Está bien, estoy dispuesto a negociar la retirada de este castigo si me cuentas qué ha pasado con los gatos —me notificó mi padre con cara de circunstancias.

—¿Con los gatos? —pregunté desconcertado.

—Sí. He visto que los gatos están mucho mejor, más frescos, más vivos. ¿Qué has hecho?

O sea, que era eso. Respiré aliviado y le dije:

—Nada especial, papá, uno que tiene sensibilidad para entender a los gatos, ya sabes.

Él se rio y me dijo al oído:

—Un día te contaré un secreto de Sebastián, tiene unas habilidades increíbles.

—Ya lo sé, es un gran mensajero *gatnífico*. Lo he descubierto yo solo.

—¿Cómo? —dijo sorprendido.

Entonces le conté cómo me había comunicado con Vanina a través de Sebastián (sin desvelar el contenido de los mensajes, claro).

—Ya veo que te sabes espabilar solo —exclamó él contento.

—Bueno… voy aprendiendo —le dije con una sonrisa.

30
LA FIESTA

A la Espinosa le brillaron los ojos como una cereza en almíbar cuando se enteró de que el sábado tocaríamos en la plaza del Ayuntamiento. Se puso a correr por el pasillo, las piernas le tocaban el trasero, quería comunicárselo al director y a todo el colegio para que fueran a escucharnos.

El sábado olía a fiesta grande, la calle vibraba bajo nuestros pies y parecía que caminábamos más ligeros y todo. Los Flipirock fueron los primeros en cantar. Lo hicieron muy bien y les aplaudieron mucho.

Luego tocaron los Calcetinessucios, los Acantilados, los Tocadosdelala y los Iluminados. Y después escuchamos a los Toquemeldos, los Pies and Pedos, los Cargados de historias y los Rayosytruenos. «Y finalmente... Bigotes-degato», anunció el altavoz.

Nosotros teníamos los nervios a flor de piel pero cuando empezamos a cantar los espantamos y salieron huyendo. Los nervios, quiero decir.

La canción fue un éxito. Nos aplaudieron un buen rato y pidieron tres bises. Después, la Espinosa nos felicitó y nos prometió que nos pondría a todos un sobresaliente en música. Y por primera vez en toda su historia como profesora, sus alumnos la aplaudieron. Ella se puso roja, sacó el pañuelo del bolsillo y se sonó.

Después hicimos una fiesta en la azotea con toda la pandilla.

Aquella noche Vanina me dijo que había podido hablar por teléfono con su padre, que la guerra se había acabado, que podían regresar.

No entendía por qué una buena noticia como esa me hacía sentir como una piltrafa, abandonado a mi triste suerte como una marmota, pequeño como un bonsái.

Le dije que me moriría sin ella... que nada tendría sentido, que no podría subir a la azotea ni ir al colegio... que no podría pasar por el parque ni sentarme en el banco azul… que no podría porque solo sentiría su ausencia taladrándome el alma.

Ella sonrió y me dijo:

—Sí que podrás, Tavi, el Magnífico, Granratón colorado de los indios guayamiri, podrás.

Entonces acercó sus labios a los míos y me dio un beso, suave y húmedo, como una nube de mandarina. Un beso que desafió todas las leyes de la gravedad y me levantó hasta las nubes para probar el paraíso. El deseo de la pestaña se acababa de cumplir.

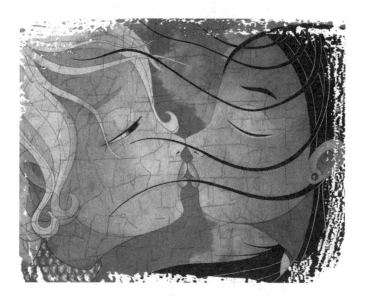

—Yo también te echaré de menos —dijo ella cuando aterricé.

El último día que la vi desapareció entre los árboles del parque y le ondeaba el pelo.

EPÍLOGO

Pasó la Navidad y la nieve heló la azotea.

Cuando volví al colegio, el sitio de Vanina estaba vacío.

Yo miraba la puerta y pensaba que en cualquier momento la vería entrar.

Cada día, cada hora, cada segundo... esperaba.

Pero no.

Un día, a la hora del recreo, trepé al olivo. El cielo estaba limpio y una música que no conocía me hizo cosquillas en los labios. Comenzaba así:

Un día probé el sabor
de tus labios en los míos,
y ahora que te has ido
pienso y pienso y no te olvido.

Se lo comuniqué al grupo: tenía el principio de una nueva canción.

Se pusieron en marcha. Bigotesdegato no podía morir, continuaríamos haciendo canciones.

Siete semanas más tarde, Claudia se sentó delante de mí en la clase de mates. Tenía su cuaderno secreto en la falda y con un dedo se enroscaba un rizo juguetón que le caía sobre la oreja.

«¿Todavía guardas mi beso entre tus tesoros, Claudia?», escribí en una hoja.

Después convertí la hoja en un avión y lo hice volar hasta sus dedos.

Índice

Escribieron y dibujaron...

Eulàlia
Canal

—*Eulàlia Canal (1963) es psicóloga de profesión y ejerce en Granollers, su ciudad natal. Ha colaborado en distintos proyectos infantiles relacionados con la música y el teatro, además de escribir canciones para niños. Un petó de mandarina, la edición en catalán original de esta obra, ganó el Premi Barcanova de Literatura Infantil i Juvenil en 2006. ¿Cuándo empezó a escribir?*

—Recuerdo que, de pequeña, mi padre, cuando estaba en casa, siempre tenía un libro o un periódico en las manos. Llenaba la casa de libros y mi madre decía que pronto, de tantos libros, no cabríamos nosotros. Para mí los libros eran un misterio, sentía mucha curiosidad por saber qué decían tantas letras, tantas palabras bailando como telarañas dentro de las páginas. Abrir un libro era como abrir una puerta a un mundo mágico y desconocido, con la ventaja, claro, de que si no te gustaba cerrabas la puerta y adiós muy buenas. Pero yo no tenía suficiente con leer, mi cabeza era una olla hirviendo llena de letras y palabras. De muy pequeña ya me gustaba escribir (mi diario, poemas breves, cuentos un poco locos...) y mi rato preferido era la noche, cuando podía ocuparme plenamente de mis personajes secretos. Por desgracia, cuando me hice mayor, pensé que todo aquello no conducía a nada y que más valía que me ocupara de cosas serias. Y, de esa manera, ocupándome de cosas serias, abandoné durante bastantes años esta afición. Suerte que, cuando nacieron mis hijos, recuperé, de alguna manera, aquel mundo, y como continuaba teniendo la inquietud de escribir y muchas ganas de decir cosas, decidí que quería compartir todo aquello. Empecé publicando un libro de poemas, después llegaron los cuentos y la narrativa infantil.

Sara
Ruano

—*Sara Ruano nació en Valencia, donde estudió Bellas Artes, aunque vivió con su familia en otras ciudades como Barcelona y Zaragoza. En la actualidad reside en Reino Unido, desde donde colabora con distintas editoriales ilustrando libros infantiles y juveniles. También ha publicado su trabajo en revistas como* Elle *o* Woman *y ha trabajado en animación. ¿Qué significa para usted trabajar en libros como* Un beso de mandarina*?*

—Ilustrar libros para niños es muy estimulante, porque te devuelve a la infancia, a un mundo donde todo es posible y en el que siempre hay esperanza. Con cada uno de los trabajos que hago, experimento la sensación de revivir aquellos sábados y domingos, cuando era pequeña y dibujaba y pintaba mis muñecas de papel. Ahora, en cada libro que ilustro, es el autor el que me marca las pautas, y yo no hago más que seguir las normas del juego: dibujo, pinto, juego con el ordenador e intento plasmar en la historia todo mi potencial. En este caso, con *Un beso de mandarina*, hacerlo ha sido fácil, porque la historia contiene mucha magia, y solo con comenzar, ya me enganché. Imaginarme el pelo de Vanina ondeando fue lo que me dio la fuerza para iniciar mi trabajo; el resto tomó vida solo. Espero que os lo paséis bien con este libro, y que después leáis muchos más, porque los libros son golosinas para vuestra imaginación y vuestra inteligencia.

SOPA DE LIBROS

OTROS TÍTULOS PUBLICADOS
A PARTIR DE 10 AÑOS